РІВНЕНЩИНА

Видруковано при сприянні
фірми Computer Press,
Братислава, Словаччина

ISBN 966-95210-0-9

РІВНЕНЩИНА

ФОТОАЛЬБОМ ✧ RIVNE REGION ✧ PHOTOALBUM

**Фотографії,
тексти, дизайн
Анатолія МІЗЕРНОГО**

**Аґенція M&Co
1997**

ШАНОВНІ РІВНЯНИ ТА ГОСТІ НАШОГО КРАЮ!

Ви тримаєте в руках фотоальбом «РІВНЕНЩИНА», який увібрав у себе все те, чим багатий наш край.
Рівненщина з її мальовничими краєвидами, унікальними пам'ятками історії, культури та архітектури, які століттями приваблювали й приваблюють дотепер дослідників, туристів, ділових людей, без перебільшення вважається перлиною Українського Полісся.
Рівненщина — це край, що володіє могутнім природним, економічним та інтелектуальним потенціалом. Це — край лісівників і хіміків, атомників і хліборобів, машинобудівників і льонарів, медиків та вчителів.
Це — край, що росте і розвивається разом із добрими сусідами під куполом державної незалежності, на засадах співпраці, взаємоповаги, гуманізму і любові.
Далеко за межами відома самобутня духовна спадщина древнього Волинського краю.
Складна, суперечлива доля випала нашим землякам на перехрестях історії пізнішої доби.
Рівненщина молодіє. Набирається сили і краси.
Сподіваємося, що це знайомство з Рівненщиною сприятиме тому, аби наша земля розквітала й могутнішала, піднімалися добробут і культура людей, а з нею — вся Україна.

Голова Рівненської обласної державної адміністрації

Микола СОРОКА

Голова Рівненської обласної ради

Роман ВАСИЛИШИН

ПОГОРИНА — ДРЕВНІЙ КРАЙ

Рівненщина. Полісся. Мій край.
В адміністративному поділі — просто область. Протягнена у просторі територія в північно-західному куточку України. Край лісів, озер і боліт. Земля рідкісних рослин і казково гарних краєвидів, на які 10 років тому таки лягла чорна тінь Чорнобильської хмари. Земля древніх міст і великих шляхів, які сполучають Захід зі Сходом. Земля людей — різних і несхожих, та все ж поєднаних повітрям, що ним вони дихають, і самою землею, по якій вони — ступають. Територія області — трохи понад 20 тисяч квадратних кілометрів. Не так вже й мало. Всього лиш уполовину Швейцарії чи Нідерландів, виразно помітних на географічних мапах. Або Ліван і Кіпр, узяті разом. Чи Ямайка й Пуерто-Ріко. Чи, скажімо, центральноамериканська держава Сальвадор. Щоразу, знаходячи цю країну на глобусі, думаєш, що ось і наша область така сама завбільшки.
Рівненщина. Полісся. Наш край. Вічно межова, порубіжна, гранична земля. Ще якихось сто років тому за Радивиловом починалася вже Австро-Угорщина, а під час останньої війни — дистрикт Галичина. Зі сходу за Корцем до 1939-го лежала УРСР, і з нею разом — велика радянська імперія. Далі на схід кордонів уже не було аж до самої Камчатки. В цьому мали нагоду переконатися чимало уродженців Рівненщини після «золотого вересня» 1939 року. Невидима лінія фронту пролягала у наших лісах і в сорокові, і навіть ще у п'ятдесяті роки.
А щодо кордонів природних: межа поліської та лісостепової зон також пролягає по області, відділяючи південну частину від північної. І як докази цього порубіжжя — оборонні споруди на обширах нашого краю: фортеця в Дубні, замки в Корці, Клевані, Острозі, і Тараканівський форт, і польські доти, та й просто залишки окопів, на які й по сьогодні можна часом натрапити на узліссях.
Люди жили у цьому краї споконвіків. Свідчать про це і численні висліди археологічних розкопів — навіть поблизу обласного центру, в Бармаках, знайдено рештки стоянки епохи палеоліту.
Свідчать про це і назви населених пунктів, древні, аж сиві: Городище, Межирічі... Від цих найменувань віє духом прадавніх людських осель, багато разів руйнованих, та знову і знову відроджуваних. Половці-кипчаки, турки з татарами, шведська армія Карла XII й французи під проводом Наполеона, польські й німецькі, російські й радянські війська неодноразово прокочувалися дорогами нашого краю зі сходу на захід і з заходу на схід, підминаючи й плюндруючи, залишаючи по собі згарища й пустку, вдів і сиріт, сіючи сльози і біль.
Що могло перетривати віки? Будівлі руйнуються і занепадають, дерева старіють і всихають. Навіть ріки змінюють русла, щоправда, не завше з власної волі. Один тільки ландшафт лишається тривким у часі, хоча і він не вічний. Про це думаєш, споглядаючи

пагорби Мізоцького кряжу чи урвища понад рікою з Надслучанської Швейцарії. Ці самі краєвиди могли бачити люди, які мешкали на цій землі сто, двісті, тисячу років тому. Це — темно-загадковий край купрінової «Олесі», хрестоматійних «Дітей підземелля» Володимира Короленка, історично-містичних оповідей Миколи Костомарова. Край, де збереглися звичаї ще дохристиянської доби. Обряд Водіння Куста — тому переконливий приклад. Це — світлий край науки і культури, осяяний мудрістю давніх філософів і митців, письменників та мислителів, духовних і світських мудреців. Крізь віки лине і ллється в майбуття сяйво Пересопницького Євангелія, Острозької Біблії, «Граматики» Мелетія Смотрицького, острозького видання «Букваря» Івана Федорова.

Це — край майстрів і ремесел. Іще на перших сторінках «Слова про Ігорів похід» гримлять об шоломи мечі харалужні — і це наш Харалуг дав цю назву. Це — край письменників і поетів. У XVI—XVIII сторіччях у келіях монастирів Дубна, Дерманя та Острога творили свої оди, епіграми і поеми перший ректор Острозької академії Герасим Смотрицький і його син Мелетій — автор вже згадуваної «Граматики», Симон Пекалід, Дем'ян Наливайко — брат славетного отамана, ієромонах Віталій, Касіян Сакович і викладач «найубожшей школи з Ровного», схований за криптонімом «М. Н.».

Це — край відчайдухів і воїнів, край славетних битв, звитяжних перемог і гірких поразок. Скільки чужинецьких військ прокотилося його дорогами, як довго заживали рани, спричинені ними...

Острог, Дубно, Дермань, Корець, Клевань, Степань — міста й містечка, назавше вписані в історію народу України іменами своїх дочок і синів. У селі Милятин, тепер Острозького району, в самому кінці минулого сторіччя народився Олекса Стефанович, один з найбільших поетів української еміграції в Америці. В Дермані народилися і зростали перекладач античних літератур Борис Тен (Микола Хомичевський) та Улас Самчук, прозаїк, творчий доробок якого висувався на Нобелівську премію. З Дюксина походив Ніл Хасевич, художник, випускник Краківської академії мистецтв, який усе своє обдарування поклав на вівтар ідеї національного визволення. Вулицями Рівного в роки другої світової ходили не лише партизани-підпільники, а й полум'яні поети Олена Теліга та Олег Ольжич. За волю й майбутнє України віддали вони свої життя. Тепер їхні імена увічнені в назвах вулиць обласного центру. У селі неподалік Рівного, у Великому Житині, зростав Леонід Кравчук, перший Президент України нової доби.

На Рівненщині бували Григорій Сковорода й Тарас Шевченко, Пантелеймон Куліш, Микола Костомаров, Леся Українка. І пам'ять про цю землю вони несли й берегли. А ще була вона гостинною до Оноре де Бальзака, коли той проїздив через Рівне на Бердичів, аби там узяти шлюб з Евеліною Ганською; до Ярослава Гашека, котрий перебував на Рівненщині в роки першої світової війни у складі чеських (білочеських!) легіонів. І в його безсмертному романі бравий вояк Йозеф Швейк згадує, що має приятеля Їржика зі Здолбунова. Земля ця ставала й останнім притулком для вояків, своїх і чужих. Церкви на Козацьких могилах зберігають у своїх саркофагах розсипи козацьких черепів, мічених ворожими шаблями. Їх там триста, як скло, товариства лягло... А ще сотні й тисячі борців за Україну лежать у знаних і безіменних могилах на цвинтарях і вздовж доріг. Піхотинці й кіннотники першої та другої світових воєн, а між них серб Олеко Дундич і основоположник нової єврейської (ідиш) літератури Ошер Шварцман спочивають у землі Рівненщини. Анна Оленіна-Андро, возвеличена в поезіях Пушкіна, похована у Свято-Троїцькому монастирі в Корці. Польський авангардист, поет і художник Станіслав-Ігнаци Віткєвіч, котрий вкоротив собі віку в трагічні вересневі дні 1939-го, лежить на цвинтарі села Великі Озера Дубровицького району. Пребуде ж їм пухом наша земля...

Але це й земля молодих. Щовересня відчиняються двері інститутів у Рівному, відновленої Острозької академії, технікумів та училищ у містах та містечках області. Трішки збентежені першокурсники вступають до храмів освіти, аби кілька наступних років присвятити самовдосконаленню й творчому зростанню. Світло культури і знань струменить над прадавнім краєм. Мудрість великих попередників засвоюється вдячними нащадками.

А ще це — земля дітей. Коли раннього серпневого ранку чуєш, як у Клевані чи Олександрії, Новоставі чи Мізочі сурма будить мешканців літніх відпочинкових таборів, усіх тих «Берізок» і «Джерелець», коли бачиш, як вони дружними лавами йдуть, юні і запальні, приходить унаочнене розуміння того, що край цей має майбутнє. Діти виростають кращими за своїх батьків — це давня й незаперечна істина. Синів і дочок цієї землі можна знайти по всеньких усюдах. Примхлива й не завжди ласкава доля розкидала їх з Поліського краю по Америках і Канадах, Росіях та Австраліях, Франціях та Німеччинах, Бразиліях та Аргентинах. І звідтам, з закрай світу тягнуться до Рівненщини туго напнуті незримі ниточки, якими в'яжуться душі емігрантів з рідним краєм. Можна купити туристичну путівку, приїхати, побачити, відвідати «територію області», але у країну дитинства візи, на жаль, не видаються в жодному консуляті.

Краса цієї землі стримана й неяскрава, як і властиво істинній красі. Чимось нагадує вона прадавню поліську вишивку: домінує в ній чорний колір, і лише потім йдуть інші кольори. Так і в природі у наших краях, рідкісний чорний лелека гніздиться в болотистих нетрях на півночі області, і навіть загадкові чорні озера чаяться посеред наших лісів, темно-карим поглядом невідривно задивившись у небо. Рідкісні птиці й тварини, трави й дерева, які збереглися на Поліссі, самим своїм існуванням підтверджують неповторність цієї землі.

Архітектура краю теж строга й велична, навіть у руїнах. Недаремно залишки Корецького замку привернули увагу Т. Шевченка — й він замалював їх для

етнографічної експедиції, в складі якої проїздив Рівненщиною. А вже ті споруди, що збереглися, — замки в Дубні й Острозі, монастир в Межирічах — є справжніми перлинами будівничого мистецтва.
Рівненщина. Полісся. Наш край. Земля, що наділена могутнім природно-ресурсним потенціалом. У її надрах — чорно-сірий базальт і сонячно-золотавий бурштин, блискучі алмази і небесні фосфорити. Окрім величезних запасів будівельних матеріалів, рівненська земля має в собі цілющі джерела мінеральних вод, зокрема в древньому Острозі та старовинній Степані.
Азотно-радонові джерела у Корці за своїми лікувальними властивостями не поступаються цхалтубським із Кавказу.
Рівненщина. Полісся. Наш край.
Земля, що має потужну розгалужену промислову базу. Підприємства Рівненщини підтримують ділові контакти з багатьма зарубіжними фірмами. За межами України Рівненщина виділяється, насамперед, виробництвом лляних тканин, нетканих матеріалів, деревностружкових плит, мінеральних добрив, цементу, електроенергії.
Оновлюється поліське село. До землі повертається її власник — дбайливий господар.
Рівненщина. Погорина. Полісся. Наш край.
Земля сивих легенд і мелодійних пісень, земля вишивальниць, гончарів, різьбярів, поетів і художників. Не перестає дивувати світ поліський серпанок, який є обов'язковим атрибутом народного костюма.
В руках рівненських умільців народжуються шедеври чорної та білої поліської кераміки.
Все більше і більше шанувальників знаходить духовне мистецтво древнього краю.
Воно відроджується, і, як та червона ниточка-горина, у вишитті, поєднує минулі та майбутні покоління.
Рівненщина. Наш край. Земля захоплюючих туристичних маршрутів: од таємничих поліських озер, Соколиних гір і стрімких річок — до сонячних узвиш та соснових борів, од древніх мурів княжої доби — до сучасних архітектурних ансамблів. І всюди супроводжуватиме вас дух старовини, історії, віри і народної мудрості. І всюди стрічатимуть вас щирі, відкриті посмішки.
Рівненщина. Погорина. Полісся. Наш край.
Земля, що вірно шанує предків, дбайливо оберігає минувшину і трепетно зазирає у завтрашній день, сповнений новизни, неспокою і наснаги.
Рівненщина радо стрічає друзів. Гостинно розчиняє браму для співпраці. І в цьому переконається кожен, хто знайде у щоденній круговерті, в часоплині справ та ідей можливість відвідати, бодай на мить, благословенний край. Землю, по якій ступали Григорій Сковорода й Тарас Шевченко, Микола Костомаров і Леся Українка...

***Олександр* ІРВАНЕЦЬ.**

БІЛОРУСЬ
ЗАРІЧНЕ
ДУБРОВИЦЯ
ВОЛОДИМИРЕЦЬ
КУЗНЕЦОВСЬК
САРНИ
РОКИТНЕ
УКРАЇНА
ВОЛИНСЬКА ОБЛАСТЬ
БЕРЕЗНЕ
КОСТОПІЛЬ
ЖИТОМИРСЬКА ОБЛАСТЬ
РІВНЕ
ГОЩА
КОРЕЦЬ
МЛИНІВ
ЗДОЛБУНІВ
ДЕМИДІВКА
ДУБНО
ОСТРОГ
ХМЕЛЬНИЦЬКА ОБЛАСТЬ
РАДИВИЛІВ
ЛЬВІВСЬКА ОБЛАСТЬ
ТЕРНОПІЛЬСЬКА ОБЛАСТЬ

РІВНЕНЩИНА: ЦИФРИ І ФАКТИ

- Рівненська область розташована в північно-західній частині України і займає територію 20,1 тисячі квадратних кілометрів.
- Рівненщина межує з Брестською та Гомельською областями Білорусі, Житомирською, Хмельницькою, Тернопільською, Львівською та Волинською областями.
- За адміністративно-територіальним поділом Рівненська область включає 16 районів, 1031 населений пункт.
- Населення області становить 1,2 мільйона осіб.
- Територія нинішньої Рівненської області була заселена ще з доби пізнього палеоліту, тобто приблизно 40—10 тисяч років тому. Про це свідчать численні археологічні знахідки.
- На теренах області виявлено близько 100 залишків стародавніх поселень та могильників.
- У VI—VII століттях наш край населяло плем'я дулібів-волинян.
- Наприкінці X століття Волинь, у тому числі й наша земля, входила до Володимирського князівства.
- Визначну роль в історії краю відіграли Дорогобуж і Пересопниця, які в XI—XII століттях були центрами удільних князівств.
- До 1283 року відноситься перша письмова згадка про місто Рівне, коли тут відбулася битва польських та литовських військ.
- Після 1340 року територія нинішньої Рівненської області відійшла до складу Великого князівства Литовського.
- У 1576 році в Острозі князем Василем-Костянтином Острозьким заснована слов'яно-греко-латинська Академія — перший в Україні і в Східній Європі вищий навчальний заклад.
- До 1629 року належить перший відомий перепис населення Волинського воєводства. Найбільшими містами на той час були Острог, Корець, Степань, Рівне, Дубно.
- У середині XVII століття територія Рівненської області була охоплена визвольною війною під проводом гетьмана Богдана Хмельницького.
- У 1793 році, після підписання російсько-пруського договору, частина території Рівненщини увійшла до складу Росії.
- На початку квітня 1919 року у Рівному знаходився уряд Української Народної Республіки.
- За Ризьким мирним договором 1921 року територія Рівненщини відійшла до складу Польщі.
- Після приєднання Західної України до УРСР Указом Президії Верховної Ради СРСР від 4 грудня 1939 року було утворено Рівненську область.
- У роки другої світової війни під час окупації місто Рівне було центром рейхскомісаріату «Україна».

- На теренах краю в роки гітлерівської окупації активно діяли українські патріоти, що об'єдналися в Українську Повстанську Армію.
- 2 лютого 1944 року — день визволення міста Рівного від німецько-фашистських загарбників.
- На Рівненщині є понад 100 родовищ 14 видів корисних копалин.
- Рівненщина є європейським монополістом базальту.
- Рівненська область має значні запаси бурштину.
- Понад 850 тисяч гектарів складає площа лісового фонду області, а загальний запас деревини становить 103 мільйони кубометрів.
- У Радивилівському районі, поблизу села Дружба, на уступі Подільського плато знаходяться найвищі точки області — 372—374 метри.
- В економіці області домінують галузі електроенергетики, хімічної, легкої, лісової, деревообробної, харчової промисловості, виробництва будматеріалів, металообробки, машинобудування.
- Трудові ресурси області складають 54 відсотки від загального числа населення.
- Область перетинають автомагістралі Київ — Варшава, Київ — Брест, Київ — Львів, Львів — Житомир, Київ — Чернівці.
- Експлуатаційна протяжність залізничних колій в області складає 588 кілометрів, протяжність автомобільних шляхів — 7535 кілометрів.
- Територією Рівненщини протікає 170 великих та малих річок. Найбільші з них — Прип'ять, Стир, Горинь, Случ. Останні з них належать до басейну ріки Прип'ять.
- На території області — 52 озера, загальна площа яких понад 260 квадратних кілометрів. Найбільші озера — Нобель, Біле, Острівське.
- В області діє 225 промислових підприємств.
- На Рівненщині працює понад 680 сільськогосподарських підприємств різних форм господарювання.
- Торгівельна галузь області — це понад 3500 магазинів.
- Підприємства області проводять торгівлю товарами з 44 країнами світу.
- На Рівненщині нараховується 1715 пам'ятників та 10 музеїв.

1 *Білі лілеї, мов зорі з неба, — окраса рівненських водойм*

2, 3, 4
Звідси, з літописної Пересопниці, де народилася Перша Українська Книга — Пересопницьке Євангеліє, на якому тепер присягають президенти нової доби, бере початок все. Бо все починається з віри. У Святе Письмо. З віри у немеркнучі життєві ідеали. І, зрештою, з віри у самого себе і майбутнє. Щоб згодом стати маленькою піщинкою великого народу, щоб повік не увірвалася струна прапрадіда, щоб не замулилися джерела народної пісні

5 *Пам'ятний знак на честь виходу в світ Пересопницького Євангелія*

«Ой чого ти почорніло,
Зеленеє поле?
— Почорніло я од крові
За вольную волю.

Круг містечка Берестечка
На чотири милі
Мене славні запорожці
Своїм трупом вкрили...»

Тарас ШЕВЧЕНКО

6 Пам'ятник героям, полеглим у Берестецькій битві 1651 року

7
Михайлівську церкву перенесено на Журавлиху із села Острова. За народними переказами у ній перед Берестецькою битвою Богдан Хмельницький та козаки освячували зброю

8
На цьому місці загинув смертю героя останній оборонець козацької переправи — козак Іван Нечай. З тих пір і донині яму називають Нечаєвою

9

Георгіївський храм-пам'ятник у Пляшевій — головна споруда державного історико-меморіального заповідника «Поле Берестецької битви». У його саркофазі покояться останки загиблих звитяжців духу

10, 11, 12
Не перестають дивувати відвідувачів музею-заповідника у Пляшевій розписи зовнішнього іконостасу, виконані відомим українським художником Іваном Їжакевичем. Талановитий майстер пензля, опираючись на символічні євангельські сюжети, розкрив історичну значимість національно-визвольної війни українського народу проти поневолювачів, сповнену звитяги, незламності духу і глибокого трагізму

13 *Світає*

14, 15
Між селами Плоска та Семидуби, що в Дубенському районі, є козацький редут. Виник він із часів битви під Берестечком у 1651 році. Це був один з останніх оборонних рубежів при відступі війська Богдана Хмельницького. Редут впорядкували. Відновили хрести. Возвели фігуру. Збудували капличку. І тепер щороку, у першу неділю липня, збираються тут українські патріоти, щоб вшанувати пам'ять героїв-козаків

16, 17, 18

Отак, проїжджаючи трасою Рівне — Львів, необізнаний подорожуючий навіть не помітить, що біля села Тараканів у Дубенському районі, буквально кількасот метрів відділяє його від вражаючої фортифікаційної споруди. Скільки штурмів та облог витримав Тараканівський форт, злічити важко. Так само як збагнути інженерний геній такого укріплення. Лише час вряди-годи турбує старезні мури унікальної пам'ятки архітектури

19 *Захисна споруда кінця XIX століття — Тараканівський форт*

«В Дубно є старовинний замок, як говорили, збудований Острозькими. Він складається із двора, досить просторого із палацом, і обведений цегляною стіною з вежами. Видно, що ця стіна була декілька разів правлена, тому що вершина її червоніша за основу. Зверху росте терен і стіни покриті мохом, що надає замкові доволі романтичний вигляд. Місто належить до найбільш древніх у Росії: ім'я його згадується у Волинському літописі: Дубенъ.

Микола КОСТОМАРОВ

20
Реліквія краєзнавчого музею у Дубні — уламок гармати із зображенням герба князів Острозьких

21
Надбрамний корпус, або в'їзна брама Дубенського замку

22, 23

Древні мури Дубенського замку були свідками багатьох воєнних баталій. Бурхливі події першої половини XVII століття, пов'язані з фортецею над Іквою, описує М.Гоголь у відомій повісті «Тарас Бульба»

24
Над головним в'їздом до замку — стилізований герб найвизначніших власників Дубенської кам'яниці

25
Пам'ятник Тарасу Шевченкові у Дубні

26
Нові часи нові возводять храми. А цей красень — Покровський собор — виріс у містечку цукровиків з ініціативи президента акціонерного товариства «Дубноцукор» Данила Корилкевича та збудований за кошти колективу цього підприємства «на згадку поколінням України во славу Господу Богу»

27
На превеликий жаль, це — копія ікони «Богоматір з дитям», яку князь Костянтин Острозький подарував Спаському монастиреві у місті Дубні. Оригінал дуже цінного зразка іконопису середньовіччя зник у невідомому напрямку вже в першій половині XX століття. Тільки копія ікони нагадує тепер про княжий подарунок

28
У самому центрі Дубна здіймається шпилястий Іллінський собор, збудований тут у 1907 році

29 *Церква святого Михайла у селі Мирогоща Дубенського району*

30
Багата на флору природа Рівненщини, яка нараховує близько 1300 видів рослин. А ця предковічна дика мальва облюбувала собі лісову галявину

31
З XIV століття відоме село Новомалин, що в десяти кілометрах від древнього Острога. Колись там стояв замок, возведений князями Свидригайлами. Нині тут збереглися лише могутні кам'яні руїни

32

Густі ліси, численні балки та яруги, круті схили та узвишшя — характерні ознаки Мізоцького кряжу, що пролягає територією південних районів області

33, 34
Жнива у фермерському господарстві «МРІЯ», що в селі Цурків Здолбунівського району

35, 36

Вік новітніх технологій не відмінить роботу коней. А тому в багатьох господарствах області дбають про поновлення складу гривастих

«Дермань для мене центр центрів на планеті.
І не тільки тому, що десь там і колись там
я народився... Але також тому, що це справді «село,
неначе писанка», з його древнім Троїцьким монастирем,
Свято-Феодорівською учительською семінарією,
садами, парками, гаями, яругами, пречудовими
переказами та легендами.
А також і тому, що тут родилися, вмирали
і знов родилися мої батьки, діди, прадіди
і прапрадіди...»

Улас САМЧУК

37
Цю криницю з джерельно чистою водою називають Батиївкою. У назві — відгомін давніх часів, коли народ повставав проти монголо-татарських полчищ

38
Найпомітнішою спорудою Дерманського монастиря є квадратна вежа-дзвіниця, що здалеку вабить людське око

39, 40
У самому центрі монастирського подвір'я — ошатна Троїцька церква

41 *Цвіте анемона*

«Через одну поштову станцію за Острогом по дорозі в Дубно є чудове місце край села. При кінці спуску в село, під горою, стоїть коло самої дороги скеля. Під тією скелею в самому низу є печера, а з печери рине вода невеличкою річечкою... Над скелею понавішувались вниз кущі. По горі і внизу, з боку озерця, росте лісок. Це місце чудове, поетичне! Воно нагадує таке саме місце коло Люцерна в Швейцарії. Ні один проїжджий і прохожий не минає цього місця. Мимоволі станеш коло його, нап'єшся холодної води, посидиш в густій тіні дерева, під скелею, намилуєшся озерцем та прохолодою в тіні цього чудового куточка»

Іван НЕЧУЙ-ЛЕВИЦЬКИЙ

42

З усіх усюд до цього гільчанського джерела у гроті святого Миколая століттями йдуть люди. Кажуть, вода в ньому не тільки смачна, але й має чудодійну силу

«На скелі,
на моноліті
стоїть Острог»

Олесь **ГОНЧАР**

43, 44, 45
З усіх сторін і в будь-яку пору року має привабливий вигляд визначна пам'ятка архітектури древнього Острога — Луцька квадратна вежа XV — XVI століть.
З 1985 року тут діє Музей книги, у якому зібрані і представлені в експозиції унікальні зразки друкарського мистецтва, рукописні книги від найдавніших до теперішніх часів

46
Найдавніша споруда острозького ансамблю — Вежа мурована, перші камені якої були закладені ще князем Данилом Острозьким

47
З багатющих сховищ Острозького державного історико-культурного заповідника — чаша зі слонової кості. Автор — невідомий

48
Скульптура Т.Сосновського «Мадонна з немовлям» (XIX століття)

49
Неподалік мурів Острозького замку — ще одна пам'ятка архітектури — капличка святого Миколая. Витвір архітекторів уже пізнішої доби, але який так гарно вписується в історичне полотно Волинських Афін

50
Жодне свято в Острозі не обходиться без участі місцевого народного театру. Його виступи користуються неабиякою популярністю

51 *Дорога до храму*

52, 53

Чимало пережив на своєму віку Успенський костел в Острозі. Ще в XV столітті, за переказами, на цьому місці височіла церква Богоматері, яку князь Федір Острозький віддав під домініканський костел. З роками впливи архітектурних стилів і різних релігій всіляко змінювали Успенський костел. Та незмінним залишалася його сутність, адже костел є окрасою архітектурного ансамблю древнього Острога

54 Нова, або Кругла вежа

55

Найяскравіше образ середньовічної Круглої вежі постає перед очима тоді, коли роздивитися пам'ятку зблизька, а ще краще — зсередини

56

Давньоруські будівельні традиції були покладені в основу спорудження Богоявленського собору на Замковій горі в Острозі. Храм возведено в XV — XVI століттях

57
Стела, встановлена з нагоди 400-ліття від часу заснування Острозької Академії та друкарні в Острозі (1978)

58
Віват,Академіє! Святкова хода з нагоди відродження вищого навчального закладу в Острозі

59
Головний корпус Острозької Академії

60
«Портрет у червоному» невідомого автора (початок XVII століття) — картина з колекції Острозького музею-заповідника

61
Хрест на замковому подвір'ї в Острозі

62
У кількох кілометрах од древнього Острога у селі Межиріч знаходиться Троїцький монастир-фортеця XV — XVII століть

63
Безцінна реліквія Троїцької церкви Межиріцького монастиря — ікона Богоматері — воістину шедевр Волинського іконопису кінця XVI століття

64
Оборонні вежі монастиря слугували надійним захистом від ворога

65
В'їзна брама Межиріцького монастиря-фортеці

66
Меморіальна дошка на монастирській стіні, присвячена Гетьману України Богдану Хмельницькому, який побував у Межирічах у 1648 році

67
Унікальна пам'ятка господарського будівництва кінця XVI століття — огрівальниця

68

Ще з XVIII століття на околиці острозьких Межиріч височіє межовий стовп. Привертає він увагу не лише подорожніх, але й лелек, які залюбки вимостили тут своє гніздо

69 *Жнива*

«У містечку Корці є замок князів Корецьких, зруйнований при Хмельницькому: чудові руїни...»

Микола КОСТОМАРОВ

70, 71, 72, 73
У роки володіння князя Федора Острозького понад річкою Корчик постає могутній замок, що тривалий час був воротами по дорозі з Києва на Волинь. Зі зміною власників змінювалося й обличчя твердині: од дерев'яного укріплення до княжого палацу. Велика пожежа, що спіткала замок у 1832 році, залишила нам лише руїни

74 *Перлина древнього Корця — Свято-Троїцький монастир*

75, 76
Чіткими рисами стилю барокко вирізняється костел святого Антонія у Корці, заснований князями Корецькими ще у 1533 році

77, 78

На подвір'ї Свято-Троїцького монастиря у Корці є одне місце, якого не минає жоден відвідувач храму. Це — могила Анни Олексіївни Андро-Оленіної, яка останні роки свого життя провела у Корці, будучи щедрою благодійницею храму. Це їй Олександр Пушкін присвятив ряд ліричних поезій

79
Минаючи Корець по дорозі на Київ, важко не помітити ще один храм древнього міста — цвинтарну Георгіївську церкву

80, 81
Дві визначні пам'ятки архітектури XVII століття збереглося донині у Великих Межирічах Корецького району. Це — костел святого Антонія, що зводився тут архітектором В.Ленартовичем, та палац Стецьких за проектом відомого майстра Доменіка Мерліні

82, 83, 84
Третину території Рівненщини займають ліси. У нашому краї вони мають свою особливість. Бо стоять в обрамленні блакитних озер та стрімких річок, в поєднанні з непрохідними болотами та духмяними луками

85
Кілька десятків вітряних млинів туркотіло колись навколо Великих Межиріч. Нині, здебільшого, вітряки перетворилися в невиразні дерев'яні споруди. Та не всіх спіткала сумна доля. Скажімо, цей красень відновився у селі Колодіївка завдяки тамтешнім майстрам. І нині радує навколишніх сільських господарів. Бо млин — теж трудівник

«У сей же рік Давид захопив гречників у городі Олешші і забрав у них все майно. Всеволод тоді, пославши мужів своїх, привів його і дав йому город Дорогобуж»

Іпатіївський літопис

86, 87
На цьому місці, де тепер стоїть Успенська церква, збудована у 1570 — 1580 роках, знаходився православний монастир, відомий ще з XI століття. Тоді теперішнє село Дорогобуж було столицею удільного князівства. Про його розквіт і славу за княжих часів свідчать численні знахідки археологів

88, 89
На мальовничих берегах Горині розкинулося середньовічне містечко Тучин. У 1545 році місто було родовим гніздом литовських князів Семашків. Тоді ж, при Миколі Семашку, у 1614 році тут вознісся костел

90
Яскравим взірцем волинської народної архітектури є Преображенська церква, збудована в Тучині у 1730 році

91, 92, 93
Рівненський міжнародний аеропорт здатен приймати літаки усіх класів. З Рівного відкриті прямі авіалінії до Львова, Ужгорода, Києва та багатьох інших міст. Вигідне географічне розташування краю дозволяє вилетіти з Рівненського аеровокзалу практично в усі країни світу, що сприяє розширенню зовнішньоекономічної діяльності

94
Залізничний вокзал у Рівному. До його перонів щодня прибувають десятки пасажирських потягів та поїздів приміського сполучення

95
Театральна площа в обласному центрі

96 *Центральний храм Рівного — Свято-Воскресенський собор, збудований тут у 1895 році*

97 *Рівне. Майдан Незалежності*

98 *Будинок Рівненської обласної державної адміністрації та обласної ради*

99, 100

На Рівненщині однією з найпотужніших фірм, яка займається міжнародними автомобільними перевезеннями, є, безперечно, «КАМАЗ-ТРАНС-СЕРВІС». Тут також функціонує сучасна лінія по обробці каміння, зокрема базальту та граніту

101 *Рівне. Архітектура нової доби*

102
Акціонерне товариство «Рівнеазот» — одне з провідних підприємств-виробників мінеральних добрив на українському ринку

103
Широку географію ділових стосунків має акціонерне товариство «Рівненський завод високовольтної апаратури», продукція якого здобула світове визнання

104
Акціонерне товариство «Рівненський завод тракторних агрегатів» — одне з найбільших підприємств машинобудівної галузі в Україні

105
Акціонерне товариство «Рівнельон» справедливо вважають первістком текстильної промисловості поліського краю. Сьогодні тут налагоджене сучасне виробництво переробки льоноволокна та випуску готових лляних і напівлляних тканин. Скатертини, рушники, серветки та інші вироби з рівненською маркою неодноразово відзначалися на міжнародних виставках і здобували високі нагороди

106
Будинок одягу — улюблений торговельний заклад багатьох рівнян

107
Центральний універмаг у Рівному

108
Понад сто найменувань солодкої продукції виробляє акціонерне товариство «Рівненська кондитерська фабрика»

109
Новий магазин акціонерного товариства «Рівненський м'ясокомбінат» по вулиці Соборній у Рівному

«Ударило в дзвони пророче Шевченкове слово, Допоки вуста не поснули і душі іще не схололи»

Любов ПШЕНИЧНА

110
Пам'ятник Великому Кобзареві у селі Бережниця Дубровицького району

111
Співає хор «Верес»

112
Шевченківське свято у Рівному

113
Співає солістка Рівненського міського будинку культури Тамара Маслова

114
Жодне свято у Рівному не обходиться без участі ансамблю народної музики «Наспів» під керівництвом Бориса Забути

115 *Готель «УКРАЇНА» в обласному центрі*

116 *Рівне. На вулиці Соборній*

117
Щоденно на дорогах області сотні співробітників Державтоінспекції удень і вночі несуть свою нелегку службу, гарантуючи безпеку дорожнього руху

118
Мікрорайон «Північний» — один з наймолодших і найбільших житлових масивів у Рівному

119
На обласному святі — фольклорний гурт із села Залав'я Рокитнівського району

120
Лауреат багатьох конкурсів та фестивалів — студентський фольклорний гурт «Горина» Рівненського державного інституту культури

121, 122, 123, 124
Місто Рівне стало місцем проведення Міжнародного фестивалю духової музики «СУРМИ», на який запрошують колективи з інших областей України та зарубіжжя

125
Улюбленець рівнян — духовий оркестр «СУРМА» Рівненського училища мистецтв та культури. Його керівник — Андрій Кібіта

126, 127
Щороку центральний майдан Рівного заповнює молодь. Для уже вчорашніх школярів настає день останнього дзвоника. І цей шкільний вальс покружляє їх невідомими дорогами долі

128, 129, 130
Коли приходить місяць травень, завмирають майдани у хвилині мовчання, навіть квіти, і ті, схиляють голови в скорботі. Дев'яте травня — День Перемоги

131
У Рівненському палаці дітей та молоді добре дбають про вивчення та дослідження народних традицій Поліського краю. В етнографічному комплексі, що розмістився у творчій лабораторії, школярі вивчають давні способи обробки льону та виготовлення народного костюма

132 Народний дім у Рівному

133
Чарівна Тетяна Івченко — солістка Рівненської обласної філармонії, лауреат Всеукраїнського конкурсу вокалістів імені Соломії Крушельницької. Зі своїми сольними концертами побувала в багатьох містах України та за кордоном. Свої артистичні вміння нині Тетяна Івченко передає молоді, викладаючи клас бандури на музично-педагогічному факультеті Рівненського державного педінституту

134
Фольклорний гурт Рівненського палацу дітей та молоді «Веснянка», яким незмінно керує великий ентузіаст своєї справи Віктор Ковальчук, своєю активною діяльністю пропагує фольклор Полісся. Завдяки автентичності манери виконання, обрядовості, звичаєвості та сценічного костюма гурт «Веснянка» неодноразово перемагав на фестивалях та конкурсах світового рівня

135
Галина Табачук — диригент Рівненського камерного хору «Покрова», викладач Рівненського педінституту

136 *Готель «Мир» у Рівному*

137
Рівненський письменник молодої генерації Олександр Ірванець

138
На вулицях Рівного грають корецькі музики

139, 140, 141, 142
Далеко за межами Рівненщини відомий заслужений самодіяльний ансамбль танцю «Полісянка», яким незмінно керує ***Віктор Марущак***

143, 144, 145
Радує малечу своїми постановками Рівненський театр ляльок. За свою двадцятирічну творчу діяльність колектив театру з гастролями побував у багатьох містах України та зарубіжжя. Неодноразово творчість рівненських артистів було відзначено на міжнародних фестивалях. Кожна прем'єра рівненських майстрів сцени знаходить вдячного маленького глядача, нехай то буде мотив народної казки чи твір зарубіжного автора. У Рівненському театрі ляльок живуть добрі феї, мужні рицарі й щедрі королі. А з ними проростає доброта

146

Радує своїм співом численних шанувальників вокального мистецтва солістка Рівненської обласної філармонії Марина Фарина. У її репертуарі — твори вітчизняних і зарубіжних авторів, і, звичайно, українські народні пісні

147

На багатьох престижних музичних конкурсах представляв Рівненську обласну філармонію віртуоз-баяніст Олександр Івченко. Його високий професіоналізм та виконавську майстерність не раз оцінювало авторитетне журі. Олександр Івченко — володар Гран-прі конкурсу баяністів у Парижі. Сьогодні музикант поєднує концертну діяльність з викладацькою роботою у Рівненському державному інституті культури

148 Рівне — місто квітів

149
Рівненський художник Іван Жилка — учасник багатьох мистецьких вернісажів в Україні. Його стиль — реалістичне письмо з елементами сюрреалізму

150, 151
П'ятнадцять років при палаці культури «Хімік» у Рівному діє ансамбль танцю «Криниченька», яким опікується досвідчений хореограф Микола Яковенко. У репертуарі колективу представлені танці усіх регіонів України. Творче осмислення фольклорних мотивів, барвисті костюми, витончена виконавська майстерність у поєднанні з молодечим запалом приносять ансамблю успіх та визнання на сценах і майданчиках у себе вдома та за кордоном

152
Рівненський художник Микола Ліханов мав чотири персональні виставки. Представляв свої роботи разом з іншими майстрами пензля у Львові, Івано-Франківську, Києві, Москві, Празі. Його жанри: сюжетна картина, портрет, пейзаж та натюрморт

153
Анатолій Іваненко викладає рисунок, живопис та композицію у Рівненській художній школі. А в своїй творчості сповідує романтичний символізм. Роботи Анатолія Іваненка важко сплутати з полотнами інших художників, адже вони мають свій неповторний стиль, глибоку філософію і виразну образність

154
Олег Мосійчук, головний режисер Рівненського театру, заслужений артист України, лауреат премії ім. М. Садовського

155
Багато років з успіхом на рівненській сцені йде «Лісова пісня» Лесі Українки, воістину шедевр світової драматургії

156 Рівненський театр сьогодні

157
Візитною карткою театру є вистава «Сльози Божої матері» за сторінками роману нашого земляка Уласа Самчука «Марія»

158
Чільне місце в репертуарній афіші мистецького колективу посідають твори зарубіжної класики. Серед них — комедія Дж.Скарначчі та Р.Тарабузі «Моя професія — синьйор з вищого світу»

159
Маленьким глядачам театр дарує світ казок. З-поміж інших — музична комедія М.Кропивницького «По щучому велінню»

160
Традиційними стали «Музейні гостини» на подвір'ї Рівненського обласного краєзнавчого музею

161
З Березного на ярмарок гончар Віктор Андрощук привіз чорну кераміку, вироблену власними руками

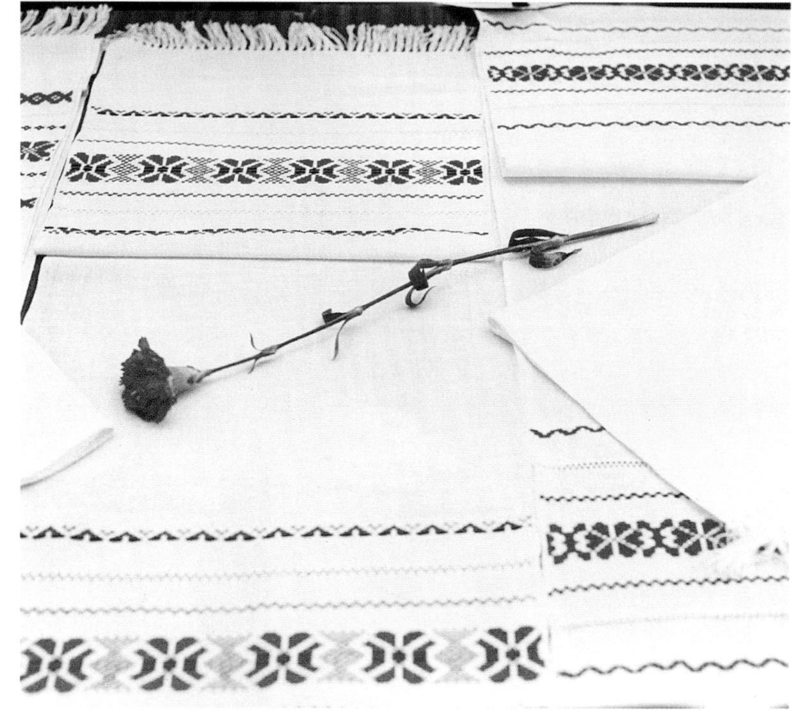

162
Поліські вишивки майстра народної творчості Марії Шевчук з Рівного

163
Багато цікавинок можна побачити тут, у музеї просто неба

164
У Рівному серед інших видів спорту виділяється спідвей. Рівненські володарі мотоциклетних шоломів не раз демонстрували свою майстерність на змаганнях світового рівня і здобували переконливі перемоги

165
Широкий вибір сучасної техніки, різноманітних товарів та обладнання пропонує рівнянам новий магазин «Будинок мрії», що розташувався по вулиці Пересопницькій у Рівному

166

Заслуженого діяча мистецтв України, художнього керівника та диригента хору «Воскресіння» Олександра Тарасенка добре знають у Рівному та далеко за його межами. Адже хоровий колектив, яким керує Олександр, за нетривалий час уже п'ять разів ставав лауреатом міжнародних конкурсів, зокрема в Україні, Туреччині, Болгарії та двічі у Польщі

167

Гурт «Чорні черешні» досить популярний серед людей різного віку, а особливо молоді. Оригінальна манера виконання та свій неповторний стиль допомагали і допомагають тепер рівненським музикантам здобувати високі титули на багатьох фестивалях і конкурсах. Чи не тому «Чорні черешні» завжди бажані гості на концертах в Україні та за кордоном

168, 169
Улюблене місце рівнян та гостей Рівного — міський парк культури та відпочинку імені Тараса Шевченка

170, 171, 172, 173
До рівненського парку завітала осінь

174
Олекса Заворотній — актор Рівненського обласного музично-драматичного театру, заслужений артист України. Залюбки бере участь у різноманітних фестивалях читців. Сам захоплюється поезією, пише драматичні твори.
А ще — гарно співає під акомпанемент гітари

175
Палац культури у селі Зоря Рівненського району

176
Ось такі золотаві соняхи ростуть на дослідних полях агрофірми «Зоря» Рівненського району

177, 178
Відтворенням, збереженням та раціональним використанням лісосировинних ресурсів області займається державне лісогосподарське об'єднання «Рівнеліс», яке володіє розгалуженою мережею сучасних виробничих підрозділів. Про відновлення флори та фауни краю дбають лісництва та мисливські господарства об'єднання

179, 180, 181
Далеко за межами Рівненщини відомі меблеві вироби акціонерного товариства «Смига», що в Дубенському районі

182, 183
Чималу частку в експорті продукції промислових підприємств області займає деревина та вироби з неї

184
Стародавні кургани та вали княжої доби донині зберегла рівненська земля

185
Малі річки, що протікають територією області, створюють свій неповторний природний колорит. Серед таких і річка Путилівка в Рівненському районі

186
Над автострадою Рівне — Луцьк у Клевані височіє цікава пам'ятка архітектури — Різдвяна церква 1777 року, що поєднала в собі народний стиль архітектури з елементами класицизму

187
Містечко Клевань існувало вже в XII столітті, щоправда тоді під назвою Коливань. А в середині XV століття на правому березі Стубли була збудована резиденція князів Чарторийських — замок, що, після деяких перебудов, зберігся дотепер

188
У мальовничому куточку природи поблизу села Жобрин, що в Рівненському районі, розташувався санаторій «Червона калина»

189, 190
Особливу цінність на Рівненщині мають родовища бурштину. Його видобутком, обробкою та виготовленням сувенірних та ювелірних виробів з цього дорогоцінного каменю займається державне підприємство «Укрбурштин», яке налагодило тісні контакти із зарубіжними партнерами

191, 192
Рівненщина — монополіст базальту на європейському ринку. Значну частку його видобувають у Івано-Долинському кар'єрі

193, 194
Ці могутні фортифікаційні споруди, якими всіяна рівненська земля, нагадують нам часи перед початком другої світової війни. Доти були збудовані військовими Польщі, якій тоді належала частина теперішньої території Рівненщини. Польські власті возвели їх на випадок нападу зі сходу. Та так і не скористалися. А досить-таки міцні стіни дотів лишилися свідками політичних баталій

195 *Синь річок і зелень дібров увібрало в себе Полісся*

196, 197, 198
Підвищеним попитом у регіоні користується продукція Березнівського фарфорового заводу. Вироби з порцеляни березнівчан мають не лише свій колорит, але й свого споживача

199, 200, 201
Напевне, у кожному краї є своя Швейцарія, мальовничий куточок природи, який приваблює розмаїттям барв, цікавою флорою та фауною, рельєфами... На Рівненщині теж є своя Швейцарія. Надслучанська. Поблизу селища Соснового, що в Березнівському районі. Там по обидва береги Случа розкинулося справжнє диво.

202 *Несе свої води швидкоплинний Случ*

203 *Природний заказник «Соколині гори»*

204, 205

У лісах понад Случем, у заказнику «Соколині гори» росте азалія понтійська, квітка, що своїми природними властивостями зачарувала багатьох. Ще на початку XX сторіччя французькі косметологи заготовляли на Поліссі з пелюсток азалії ефірну олію, яку активно використовували у виробництві парфумів. Відомий дослідник Українського Полісся академік П.Тутковський назвав цю квітку кавказькою красунею. Але питання про те, як вона потрапила сюди, і досі лишається нерозв'язаним. Одні стверджують: азалія зародилася тут ще з льодовикового періоду, інші, — що прийшла до нас схилами Карпат. Треті, — що насіння квітки принесли на копитах своїх коней татаро-монгольські наїзники

206, 207, 208
Здалеку понад Случем видно руїни Губківського замку

209, 210, 211
Багатющі експонати має у своїх сховищах Сарненський історико-етнографічний музей. Тут зібрані унікальні колекції поліського одягу, твори ужиткового мистецтва, предмети побуту наших краян та багато-багато інших цікавих речей. Та особливий інтерес серед відвідувачів сарненської скарбниці викликають старовинні будівлі, що розташувалися на музейному подвір'ї. Саме тому музей у Сарнах є місцем проведення фольклорно-етнографічних свят, де заново оживає історія, культура і побут наших предків

212, 213 Вода і скелі гармонійно поєдналися в поліському ландшафті

214

На фронті під час другої світової знайшов пан Микола скрипку, щоправда, без струн. Відремонтував. Сусіди-зв'язківці виділили шмат дроту. Натягнув струни. Грає на тому трофеї дотепер, хоч не одні струни своє відслужили. Як-не-як, а сімдесят сьомий рік уже. Тепер й своїх онуків Івана та Василя до музики залучив. У селі Кричильську Сарненського району — що не хата, то — якісь рукомесники. Але таких музик, як родина Пітелів, годі пошукати. Вони — бажані гості у кожній оселі, де є місце радості, веселощам. Сказано ж, Пітелі — троїсті музики на всю околицю

215, 216
Ще й досі повноводна Горинь сплавляє своїми потужними артеріями баржі

217 *Ріка Случ у Сарнах*

218

Тут поліпшують своє здоров'я мешканці Сарненського району

219

Містечко Степань. Славиться воно не лише джерелами мінеральних вод, але й прекрасними краєвидами

220 *Столітні дуби в урочищі Тріщава понад автострадою Варшава — Київ поблизу Сарн*

221
Багатий на будівельні матеріали поліський край

222
Сарни — один з найбільших транспортних вузлів Рівненщини

223, 224

Озера на Поліссі. Ці одвічні витвори природи ще довго для нас сущих будуть загадками. Скажімо, чому влаштовано так, що одне озеро слугує своєрідним каталізатором-чистилищем для іншого? Чому в одному вода блакитно-світла, а в іншому — чорніше чорної смоли? І що означає оця природна самопожертва... Учені мужі сперечаються, а озера не перестають зваблювати красою

225, 226, 227
Далеко за межами Рівненщини, ба, навіть України, знають про самобутній фольклорний гурт «Троян» із села Люхча Сарненського району. В репертуарі колективу — старовинні поліські пісні й танці, котрі вони перейняли од своїх предків. Разом з автентичним фольклором на своїх концертах «троянці» пропагують ремесла, звичаї та обряди поліського краю. А найбільше вражає глядача і слухача те, з яким молодечим запалом ідуть вони до людей, оберігаючи духовні вогнища роду

«Печенеє
порося
настовбурчилося.
Не чіпайте його,
бо то батька мого...»

З народної пісні

229

Містечко Степань відоме з XIII століття як столиця удільного князівства. І княжив тут спершу Іван Глібович, внук Ростислава Рюриковича. Під час набігів татар погоринське місто зазнало спустошення, і тільки з середини XV сторіччя Степань знову відроджується і набуває розквіту, передовсім за князів Острозьких.
У 1706 році в Степані перебував шведський король Карл XII, у 1710 році — російський цар Петро I. А російський письменник Олександр Купрін, будучи у цих місцях управителем панського маєтку, збирав матеріали для своїх творів. Зокрема, саме Степань та її околиці описані у добре відомій повісті «Олеся»

230

Степанська Троїцька церква з дзвіницею 1759 року — одна з багатьох пам'яток архітектури, яка збудована на тому місці, де стояли давні храми. Збереглася вона донині. А був тут колись ще і замок, і монастир, і костел

231 Преображенська церква у селі Кураш Дубровицького району

232
Багатий рівненський край на осередки матеріальної культури. На Дубровиччині таким своєрідним центром майстрів ткацтва та вишивки є село Крупове

233
Не втратили свого застосування борті — традиційно поліські вулики для бжіл

234 *Мальовничі місця зберегла природа на Поліссі*

235
Понад 260 квадратних кілометрів території області займають озера, а найбільші з них — озеро Нобель та Біле

236
Давній жалобний дзвін стоїть на одному з обійсть у Турковичах, що в Дубенському районі. Його голос озивається тоді, коли в селі трапляється якесь нещастя

237
При сільських роздоріжжях на теренах краю можна побачити хрести-фігури, возведені на честь свята Чесного Хреста. Вони, як свідчать народні прикмети, служать своєрідними оберегами, захищають села та їх мешканців од всякого лиха

238
Древній дохристиянський обряд Водіння Куста зберігся у селі Сварицевичі Дубровицького району, коли молодь з-поміж себе вибирала найвродливішу дівчину і прикрашала її галузками берези, а потім йшли від хати до хати і співали кустових пісень. Дійство це відбувалося у перший день Зелених свят. А зранку всі вирушали на кладовище поклонитися предкам і теж обов'язково несли зелене віття

239 «Ой привели Куста, та й з зеленого кльону»

З народної пісні

240, 241, 242

Височіють храми у літописній Дубровиці: у самісінькому центрі — церква Різдва Пресвятої Богородиці, трохи віддалік — Миколаївська церква. А між ними — оновлений костел Івана Хрестителя

243 *Край берега у затінку, де в'яжуться човни...*

244, 245
Рівненська АЕС діє, будується, росте, а її персонал повсякчас дбає про надійну роботу всіх енергоблоків, тісно співпрацюючи зі спеціалістами-атомниками інших країн світу

246 Машинний зал

247 Блочний щит управління енергоблоком. Ним опікуються висококласні спеціалісти

248 У навчально-тренувальному центрі РАЕС шліфують свою майстерність експлуатаційники

249 Такий вигляд має адміністративний корпус Рівненської атомної

250, 251
З кожним днем красивішає місто енергетиків Рівненської АЕС Кузнецовськ, що виросло на місці поліського села Вараш. Сьогодні — це сучасне місто з досить розвинутою мережею соціально-побутової сфери

252 Готель «Вараш» у Кузнецовську

253
На цьому місці, у селі Дібрівському, що в Зарічненському районі, стояла давня Покровська церква. Та в роки другої світової війни вона дощенту була спалена фашистами. І тільки у 1991 році тут знову виріс храм

254
Церква Різдва Пресвятої Богородиці, що у Ремчицях поблизу Сарн, — пам'ятка архітектури. Зведена вона, як свідчать історичні записи, у 1766 році

255 *Надвечір'я*

SUMMARY

The photographs in this album speak of what the Rivne region has meant to man through the ages, speak of the richness of this region.

The Rivne region is a land of majestic beauty, of rivers great and small cutting swath through the mass of dense forests. It is a land of lakes, some small and placid, other so large that you lose sight of the distant shore. In this land, past generations have left their unique culture. The period of time that separates us from the beginnings of that culture is great, but those monuments that have come down to us are models of fine workmanship.

Although the Rivne region was founded on the 4th of December 1939, this land has a long and stirring history.

In olden days, many a time Pogoryna (the old name for this area in the basin of the Goryn River) was the cause of internecine strife between the princes of Kyiv and Volhyn'. The local population heroically resisted the Golden Horde and the Lithuanian and Polish invaders. Remains of feudal castles and fortifications stand as reminders of those times.

Numerous towns and villages of the Rivne region were involved in the liberation war of Ukrainian people (1648-1654) headed by Bogdan Khmelnitsky. In 1651, the Battle of Berestechko took place here and was noted down into history. To commemorate the Cossacks who fell in this battle against Polish troops, the state museum has been opened in the village of Plyasheva, Radyvyliv district.

According to the Andrusov Treaty of 1667, almost all Ukrainian territories west of the Dnipro, including the Rivne region, entered the Polish state. In 1793, these lands were reunited with Russia. In 1919, the Rivne region was occupied by Poland. In 1939, the region was added to the USSR.

The first years after establishment of the independent Ukrainian state in 1991 have appeared not easy for the Rivne region and the whole Ukraine as well. But because the impulses of spiritual revival had originally started here it is no wonder therefore that it is made a considerable contribution into the Ukraine's renaissance.

Nowadays industry, agriculture and forestry occupy the leading place in the region's economy. Industrial enterprises produce a great amount of linens, non-woven fabrics, mineral fertilizers, electric power, cement, chip-boards, etc. The agriculture is specialized in the cultivation of grain, sugar-beets, potato, long-fibred flax, meat and milk production. The Rivne region is the European monopolist of the basaltic deposits. Large deposits of amber are of great importance. There have been discovered deposits of phosphorites, sources of mineral water and mud.

Favourable location of the region, its nature and climatic conditions, beautiful landscapes, numerous natural monuments, monuments of culture, history and folklore, economical and scientific potential, social-cultural and historical traditions create all necessary conditions for complex development of the Rivne region, open wide perspectives for fruitful mutual co-operation, creation of joint-ventures, widening of industrial and commercial links.

Our sincere desire is to show the region to more and more tourists and visitors - they will receive a cordial welcome.

LIST OF ILLUSTRATIONS

63. Icon of Our Lady from the Trinity Monastery

64. Defensive towers of the Mezhurich Trinity Monastery

65. The Entrance Tower of the Mezhurich Trinity Monastery

66. The commemorative plaque in honour of Hetman Boghdan Khmelnitsky

67. Heater, 16th century

68. The boarder pillar, 18th century, near the village of Mezhurich, Ostrog district

69. Harvesting time

70, 71, 72, 73. The Korets Castle was built by prince Fedir Ostroz'ky

74. Holy Trinity Nunnery, Korets

75, 76. Catholic Church of St.Antony in the town of Korets, 1583

77, 78. Holy Trinity Nunnery, Korets

79. St.George's Church in the town of Korets

80, 81. Village of Velyky Mezhyrichi, Korets district: Catholic Church of St.Antony, palace of Stetsky

82, 83, 84. One third of the territory of the Rivne region is covered with woods

85. The mill in the village of Kolodiivka, Korets district

86, 87. Assumption Church in the village of Dorogobuzh, Goshcha district, 1570-1580

88, 89. In the village of Tuchyn, Goshcha district

90. Church of the Transfiguration in the village of Tuchyn, Goshcha district

91, 92, 93. Rivne International Airport

94. Rivne Railway Station

95. Rivne. On Teatral'na Square

96. Rivne. The Cathedral of the Holy Resurrection, 1895

97. Rivne. On Nezalezhnosty Square

98. The building of the Rivne Regional State Administration

99, 100. Firm *Kamaz-Trans-Service*

101. New buildings in Rivne

102. Joint Stock Company *Rivneazot* products mineral fertilizes

103. Joint Stock Company *Rivne High Voltage Equipment Plant*

104. Joint Stock Company *Rivne Plant of Tractor Assemblies*

105. Joint Stock Company *Rivnel'yon*

106. Rivne Ready-made Clothes Shop

107. Rivne Central Department Store

108. Production of the Joint Stock Company *Rivne Plant of Sweets*

109. New shop of the Joint Stock Company *Rivne Integrated Meat Processing Works*

110. Monument to Taras Shevcnenko in the village of Berezhnitsa, Dubrovitsa district

111. Chor *Veres*. Rivne

112. Celebrations in honour of Taras Shevcnenko

113. Rivne singers Tamara Maslova

114. Folk music ensemble *Naspiv* from Rivne

115. Hotel *Ukraina* in Rivne

116. Soborna Street in Rivne

117. Militiaman from the Rivne State Auto Inspection

118. The new Rivne settlement *Pivnichny*

119. Folk ensemble from the village of Zaslav'ya, Rokytne district

120. Folk ensemble *Goryna* from the Rivne State Institute of Culture

121, 122, 123, 124. International Brass-Bands' Festival *Surmy*

125. Rivne brass-band *Surma*

126, 127. School graduates on the central square of Rivne

128, 129, 130. Celebration of the Victory Day in Second World War

131. The Rivne Palace of Youth, Ethnographic Complex

132. Rivne. Narodny Dim (People's House)

133. Tetyana Ivchenko from the Rivne Philharmonic Society

134. Folk ensemble *Vesnyanka* from the Rivne Palace of Youth

135. Galina Tabachuck is a conductor of chamber chorus *Pokrova* and a lecturer of the Rivne State Pedagogical Institute

136. Hotel *Myr* in Rivne

137. Rivne writer Olexander Irvanets

138. Musicians from the town of Korets play on Rivne streets

139, 140, 141, 142. Rivne folk dance ensemble *Polisyanka*

143, 144, 145. Rivne Puppet-Show

146. Marina Faryna is a singer of Rivne Philharmonic Society

147. Olexander Ivchenko is an artist of the Rivne Philharmonic Society

148. Rivne is a town of flowers

149. Rivne painter Ivan Zhylka

150, 151. Folk ensemble *Krynychen'ka* from the Palace of Culture *Chimik*

152. Rivne painter Mycola Lichanov

153. Rivne painter Anatoly Ivanenko

154, 155, 156, 157 158, 159. Rivne Music and Drama Theatre

160. Festival in the Rivne Local Lore Museum

161. Black ceramics made by Victor Androshchuk from the town of Berezne

162. A piece of embroidery made by Mariya Shevchuk from Rivne

163. Bell, 1567 (collection of the Rivne Local Lore Museum)

164. Speedway is one of the most popular sport in Rivne

165. New shop *Dream House* in Rivne

166. Olexander Tarasenko is a conductor of well-known chorus *Voscresinnya*

167. Popular music ensemble *Chorny Chereshny*

168, 169, 170, 171, 172, 173. Rivne park

174. Oleksa Zavorotny is an artist of Rivne Music and Drama Theatre

175. The Palace of Culture in the village of Zarya, Rivne district

176. Such beautiful sunflowers grow in the agrofirm *Zorya*, Rivne district

177, 178. Forestry occupies the leading place in the region's economy

179, 180, 181. Furniture producted by Joint Stock Company *Smygha*, Dubno district

182, 183. Industrial enterprises of the Rivne region produce a great amount of wood, chip-boards, etc.

184, 185. Rivne landscapes

186. Nativity Church in Clevan', 1777

187. The Clevan' Palace-Fortress, 15th century

188. Sanatorium *Chervona Kalyna* in the village of Zhobrin, Rivne district

189, 190. Large deposits of amber are of great importance. They are explored by State Enterprise *Ukrburshtyn*

191, 192. The basalt deposit near the village of Ivanova Dolyna

193, 194. Fortifications built by the Polish authorities before the beginning of Second World War

195. Polissya landscape

196, 197, 198. Berezne Porcelain Plant

199, 200, 201. Picturesque landscapes near the village of Sosnovka, Berezhe district

202. The Sluch river

203. The state reserve *Sokolyni Hory*

204, 205. Rhododendron luteum Sweet-Azalea pontica L. in the state reserve *Sokolyni Hory*, Berezne district

206, 207, 208. The Gubkiv Castle ruins

209, 210, 211. Sarny Museum

212, 213. Picturesque Polissya

214. Musicians from the family of Pitel (village Krychyl's'k, Sarny district)

215, 216. Barges on the Goryn River

217. The Sluch river in the town of Sarny

218. The hospital in Sarny district

219. In the town of Stepan'

220. Old oaks near the town of Sarny

221. The Rivne region has considerable natural reserves of construction materials

222. Sarny is a big railway junction

223, 224. Polissya lakes

225, 226, 227. Folk ensemble *Troyan* from the village of Luchcha, Sarny district

228. Polissya lake

229. In the town of Stepan', Sarny district

230. Trinity Church (1759) in the town of Stepan', Sarny district

231. Church of the Transfiguration in the village of Kurash, Dubrovitsa district

232. Polissya folk cloth

233. Traditional Polissya beehives

234. Polissya landscape

235. The Nobel' Lake, Zarichne district

236. Old mournful bell in the village of Turckovichi, Dubrovitsa district

237. Crosses near countryside roads are some sort of charm

238, 239. Ancient before Christ traditions remain in Polissya

240, 241, 242. Dubrovitsa: Our Lady's Nativity Church, St.Nicolas' Church, renewed Catholic Church of the Forerunner

243. Rivne landscape

244, 245, 246, 247, 248, 249. The Rivne Nuclear Power Station

250, 251, 252. The new town of Kuznetsovs'k where the Rivne Nuclear Power Station is situated

253. The Church of the Intercession in the village of Dibrovsk, Zarichne district

254. Our Lady's Nativity Church in the village of Remchitsy, Sarny district, 1766

255. Polissya landscape